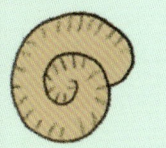

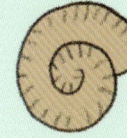
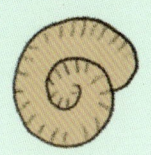

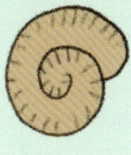
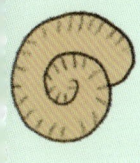

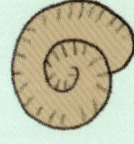
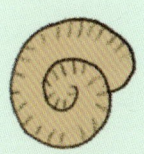

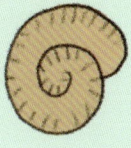
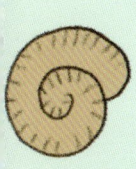

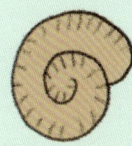

신민재

온 식구가 집에 있는 시간이 늘어나면서 할 일도 엄청나게 늘어났어요. 잔소리 폭탄이 터지기 전에 다 함께 나눠 하면 금방 줄어들 텐데 말이지요. 집안일 다 함께 조금씩 나눠 하면 안 될까요?
《처음 가진 열쇠》,《우리 말 모으기 대작전》,《얘들아, 학교 가자!》,《눈 다래끼 팔아요》,《가을이네 장 담그기》,《왕할머니는 100살》을 비롯한 여러 어린이책에 그림을 그렸습니다.《가을이네 장 담그기》와《얘들아, 학교 가자!》는 교과서에도 실렸지요. 쓰고 그린 책으로《안녕, 외톨이》,《언니는 돼지야》,《나무가 사라진 날》,《도망쳐요, 달평 씨》,《또 만나요, 달평 씨》,《급식실의 달평 씨》,《버럭 할머니와 달평 씨》 들이 있습니다.

ⓒ 신민재, 2021

초판 1쇄 발행 2021년 8월 9일 ◦ 초판 12쇄 발행 2025년 9월 23일 ◦ ISBN 979-11-5836-253-9, 978-89-93242-30-0(세트)

펴낸이 임선희 ◦ 펴낸곳 ㈜책읽는곰 ◦ 출판등록 제2017-000301호 ◦ 주소 서울시 마포구 성지길 48 ◦ 전화 02-332-2672~3 ◦ 팩스 02-338-2672 ◦ 홈페이지 www.bearbooks.co.kr ◦ 전자우편 bear@bearbooks.co.kr ◦ SNS Instagram@bearbooks_publishers
편집 우지영, 우진영, 이다정, 최아라, 박혜진, 김다예, 윤주영, 도아라 ◦ 디자인 강효진, 강연지, 윤금비 ◦ 마케팅 정승호, 배현석, 김선아, 이서윤, 백경희, 김현정 ◦ 경영관리 고성림, 이민종 ◦ 저작권 민유리 ◦ 협력업체 이피에스, 두성피앤엘, 월드페이퍼, 원방드라이보드, 해인문화사, 으뜸래핑, 문화유통북스

이 책은 저작권법에 따라 보호받는 저작물이므로 무단 전재와 무단 복제를 금합니다.
이 책 내용의 전부 또는 일부를 사용하시려면 반드시 저작권자와 출판사의 동의를 얻어야 합니다.

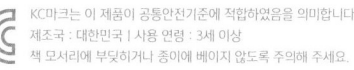

KC마크는 이 제품이 공통안전기준에 적합하였음을 의미합니다.
제조국 : 대한민국 | 사용 연령 : 3세 이상
책 모서리에 부딪히거나 종이에 베이지 않도록 주의해 주세요.

콩이네 가족은 다시 조금 게을러지기는 했지만,
예전처럼 집이 난장판이 되는 일은 없어요.
아빠는 여전히 요리를 하고, 엄마는 여전히 청소를 하고,
콩이는 양말 짝 맞추는 데 도사가 되었답니다.
그런데 달평 씨는 친구들을 잘 만났을까요?

달평 씨가 모두에게 말했어요.
"저는 이제 가 봐야 할 것 같아요오.
그동안 정말 고마웠어요오."
"싫어요! 가지 마세요!" 콩이가 달평 씨 다리에 매달렸어요.
"꼭 가셔야 해요?" 엄마 눈에 눈물이 찔끔 맺혔어요.
"어디로 가시는데요?" 아빠가 큼큼 헛기침을 했어요.
"봄비가 오면 다시 만나기로 친구들과 약속했거든요."
달평 씨는 꾸벅 인사를 하고는 돌아섰어요.

똑, 또똑, 또도독…….
아침부터 비가 오는 일요일이었어요.

이제 아빠는 틈나는 대로 달펑 씨와 함께 요리를 해요.
달펑 씨가 칭찬을 듬뿍 해 줘서 요리에 부쩍 자신이 붙었거든요.
얼마 전엔 달펑 씨에게 주려고 당근 케이크까지 만들었지 뭐예요.
이제 엄마는 빛처럼 빠른 속도로 청소를 해치워요.
달펑 씨가 칭찬을 듬뿍 해 줘서 청소가 한결 재미있어졌거든요.
그러고도 시간이 남아서 달펑 씨에게 예쁜 조끼도 떠 줬어요.
콩이도 이제 쓰고 난 물건은 제자리에 두는 버릇이 들었어요.
그래야 달펑 씨가 오래 있어 줄 것 같았지요.

토요일 아침, 아빠는 오랜만에 친구를 만나러 나갔어요.
엄마가 꾸물꾸물 빨래를 너는 달평 씨에게 물었어요.
"저기…… 날씨도 좋은데 우리도 놀러 나갈까요?"
"빨래 널고 거실 청소 하려고 했는데에."
"청소는 제가 할게요. 후다닥 끝내고 나가요."
콩이 엄마는 달평 씨 말이 채 끝나기도 전에 벌떡 일어나
구석구석 쌓인 먼지를 털고, 여기저기 흩어진 물건을 정리했어요.
"어머어, 어머어, 어쩜 이렇게 손이 빠를까아?
집 안이 금세 환해졌어요오."
달평 씨의 칭찬에 엄마 손이 더 빨라졌어요.

엄마가 늦게 오는 날이었어요. 콩이와 아빠가 집에 가 보니,
달평 씨가 저녁 준비를 하고 있었어요.
"어머, 오셨어요. 국만 끓이면 되니까, 조금만 기다려 주세요오."
아빠가 느릿느릿 채소를 씻는 달평 씨에게 조심스레 물었어요.
"저어…… 제가 좀 도와 드릴까요?"
"어머머, 그럼 저야 좋지요오." 달평 씨가 빙그레 웃었어요.
아빠는 소매를 척척 걷어붙이고 달평 씨를 돕기 시작했어요.
"어머어, 어머어, 칼 솜씨가 예사롭지 않으시네요!"
달평 씨의 칭찬에 아빠 어깨가 으쓱 올라갔어요.

꼬르르륵·· 꼬르르륵······

달평 씨와 함께 지내기로 한 건 정말이지 잘한 일이었어요.
아침에 일어나면 김이 모락모락 나는 밥상이 차려져 있었어요.
저녁에 들어오면 온 집 안에 반들반들 윤이 났지요.
빨래에선 언제나 보송보송한 햇볕 냄새가 났고요.
달평 씨는 정말 똑소리 나는 살림꾼이었어요.
조금, 아니 아주 느린 것만 빼고요.

엄마 아빠는 말문이 막혀 입만 뻐끔뻐끔했어요.
"좋아요! 엄마, 아빠, 그래도 되죠?"
콩이만 잔뜩 신이 났지요.

짠 야-짠...

"어머어, 어머어, 들켜 버렸네에."
커다란 달팽이가 걸레질을 하다 말고 꾸벅 인사를 했어요.
"안녕하세요오. 저는 달씨 집안의 달평이라고 해요오.
화단에서 얼어 죽을 뻔한 거얼
콩이가 구해 줘서 은혜를 갚는 중이에요오.
그 김에 봄까지 신세 좀 져도 될까요오?"

우당퉁탕 콩이네 가족이 거실로 쏟아져 나왔어요.

그날 밤,
콩이네 가족은 도대체 무슨 일이 일어나고 있는 건지
문 뒤에 숨어서 지켜보기로 했어요.
콩이가 하아암, 엄마가 하아암, 아빠가 하아암 하품을 했어요.
콩이도 꾸벅, 엄마도 꾸벅, 아빠도 꾸벅 졸기 시작할 때였지요.
끼이익 방문 열리는 소리가 났어요.
"콩이 방 쪽이야!" 엄마가 소곤댔어요.
"머, 머리에 뿌, 불이 달렸어!" 아빠가 헉 숨을 삼켰어요.
"나도! 나도 볼래!" 콩이가 아빠 어깨 위로 기어오르려는 순간……

다음 날 아침, 콩이와 아빠는 부엌에 들어서자마자 입이 떡 벌어졌어요.
"이거, 이거, 모양만 그럴싸한 게 아니라, 맛도 아주 끝내주는데!"
아빠가 달걀말이를 맛보더니, 엄지손가락을 척 하고 치켜들었어요.
"당신도 알잖아, 나 음식 못하는 거.
아무래도 이상해. 우리 집에 누가 있나 봐."
엄마가 불안한 눈으로 주위를 둘러보았어요.
그러거나 말거나 콩이와 아빠는
밥과 반찬을 입에 쓸어 넣기 바빴어요.

내가 한 거 아닌데.

그런데 부엌에서 시커먼 그림자가 어른거리는 거예요!
"여보?" 하고 불렀더니 그림자는 연기처럼 사라져 버렸어요.

그날 밤,
엄마가 자다가 목이 말라 물을 마시러 나왔어요.
아빠가 끓인 라면이 좀 짰나 봐요.

그날 밤, 꿈속에 엄마가 달이 둥실 떠올랐다.
이깨가 라라 말을 걸어왔어요.
"오, 라라야. 피곤하지 않니?"
"아니, 피곤하지 않아. 그리고 물도 안 마셨어……"
엄마는 옷을 요리조리 돌려보고 꾹꾹 찔러봤어요.
"어머, 옷들이 다 뽀송뽀송하네. 다 어떻게 한 거야?"
"에게게, 옷들이 다 말랐잖아. 어떻게 된 거야?"
엄마가 빨랫줄을 살펴보니 옷들이 바람에뽀송뽀송해요.

그날 밤 아빠.

엄마는 달님이가 잠자리에 들 때까지 곰돌이 인형을 꼭꼭 품에 안겨주었어요.
오른손 미끄지 꼭 쥐고 눈 꼭 감고 자야지, 알았쯔?"
"엄마 달라기를 꽉 쥐어 볼게요, 손에 꼭 잡히지 않을 수 없어요.
엄마는 달님이 꼭 끌어 안고 볼을 부비고 이마도 부비며 속삭였어요.
엄마가 달님이를 얼마나 사랑하는데 아빠도 얼마만큼 사랑한단다.
아빠도 사랑한다고 말해야지 해요.

그런데 부엌에서 시커먼 그림자가 어른거리는 거예요!
"엄마?" 하고 불렀더니 그림자는 연기처럼 사라져 버렸어요.

그날 밤,

콩이는 자다가 오줌이 마려워 거실로 나왔어요.

카레가 짜서 물을 좀 많이 마셨거든요.

"윽, 또 카레야!" 콩이와 아빠가 투덜거렸어요.

"아, 좀! 오늘까지만 그냥 먹자!" 엄마가 빽 소리를 질렀어요.

엄마가 왈그락달그락 저녁 준비를 하고 있을 때였어요.
"아, 배고프다. 우리 오늘 저녁 뭐 먹어?"
아빠가 지친 얼굴로 들어오며 물었어요.
"주말에 만들어 둔 카레 데우고 있어."

콩이네 집은 오늘도 난장판이에요.
"어휴, 이걸 언제 다 치운대.
우리 집에도 우렁 각시가 있으면 좋겠네."
엄마가 한숨을 푹 쉬었어요.
콩이는 그새 가방을 소파에 던져두고,
장난감 상자를 뒤지기 시작했어요.

어서 와요, 달팽 씨

신민재 그림·글

콩아, 뭐 하니? 빨리 가자!

나만의 공부 계획

● **나는 6급 한자를 얼마나 알고 있을까요?**

> 배우기 전에 확인해 보자!

● 뜻과 음을 모두 아는 한자에 O표해 보세요.

東	外	內	名	夕	北
弟	文	方	正	年	靑
兄	南	主	同	工	西
夫	向	男	少	寸	百

● 위에서 O표한 한자의 뜻과 음을 확인해 보고, 맞은 한자의 개수를 세어 보세요.

총 24개 중 맞은 개수 _____ 개

東 동녘 동	外 바깥 외	內 안 내	名 이름 명	夕 저녁 석	北 북녘 북
弟 아우 제	文 글월 문	方 모 방	正 바를 정	年 해 년	靑 푸를 청
兄 맏 형	南 남녘 남	主 주인 주	同 한가지 동	工 장인 공	西 서녘 서
夫 지아비 부	向 향할 향	男 사내 남	少 적을 소	寸 마디 촌	百 일백 백

● 맞은 개수에 따라 나의 권장 진도를 확인해 보세요.

맞은 개수	0~20개	21~24개
권장 진도	차근차근 34일 완성	빠르게 17일 완성

》 자세한 권장 진도는 다음 쪽에서 확인하세요!

● 앞에서 확인한 나의 실력에 따라 나만의 공부 계획을 세워 볼까요?

구분		공부할 내용	차근차근 34일 완성	빠르게 17일 완성
6급 선정 한자	1~4	一 二 三 四 五 六 七 八	1일	1일
	5~8	九 十 百 千 小 少 內 外	2일	
	9~12	上 中 下 向 東 西 南 北	3일	2일
	13	와우! 내 실력!	4일	
	14~17	父 母 子 女 兄 弟 主 人	5일	3일
	18~21	王 夫 男 工 目 自 口 心	6일	
	22~25	手 足 寸 力 入 出 立 正	7일	4일
	26	와우! 내 실력!	8일	
	27~30	日 月 火 水 木 金 土 山	9일	5일
	31~34	江 川 石 天 年 夕 靑 白	10일	
	35~37	生 門 名 文 方 同	11일	6일
	38	와우! 내 실력!	12일	
6급 교과서 한자어	39	朗誦 暗誦 對話 活用 結果 役割	13일	7일
	40	苦悶 標語 平素 理解 恭遜 賞品	14일	
	41	孝道 友愛 和睦 無關心 理由 一周	15일	8일
	42~43	實踐 儉素 反省 最善 / 와우! 내 실력!	16일	
	44	時間 計算 式 分數 合 差	17일	9일
	45	圖形 邊 點 垂直 距離 角	18일	
	46	順序 配列 方法 差異 共通 分類	19일	10일
	47~48	周邊 特徵 半 種類 表 問題 / 와우! 내 실력!	20일	
	49	化學 觀察 表現 物體 區間 利用	21일	11일
	50	混合物 分離 實驗 加熱 器具 溫度	22일	
	51~52	安全 着陸 評價 發明 / 와우! 내 실력!	23일	
6급 실전 문제	53~62	제1~10회 기출 및 예상 문제	24~33일	12~16일
	63	최종 모의시험	34일	17일

이 책의 차례

- 시험 안내 ··· 2
- 나만의 공부 계획 ······························· 3
- 이 책의 구성과 특징 ··························· 6

♪ 한자 도레미

1~12	수·위치 한자 ································· 8
13	와우! 내 실력! ······························· 32
14~25	사람·행동 한자 ······························ 34
26	와우! 내 실력! ······························· 58
27~37	자연·기타 한자 ······························ 60
38	와우! 내 실력! ······························· 82
39~42	국어·사회·도덕 교과서 한자어 ············ 84
43	와우! 내 실력! ······························· 92
44~47	수학 교과서 한자어 ························· 94
48	와우! 내 실력! ······························· 102
49~51	과학 교과서 한자어 ························· 104
52	와우! 내 실력! ······························· 110

♪ 실력 띵똥땡

| 53~62 | 제1~10회 기출 및 예상 문제 ············ 116 |
| 63 | 최종 모의시험 안내 및 문제 ················ 146 |

- 정답 및 해설 ······························· 151
- 모바일 한자 카드 활용법 ················ 159

이 책의 구성과 특징

● 한자 도레미

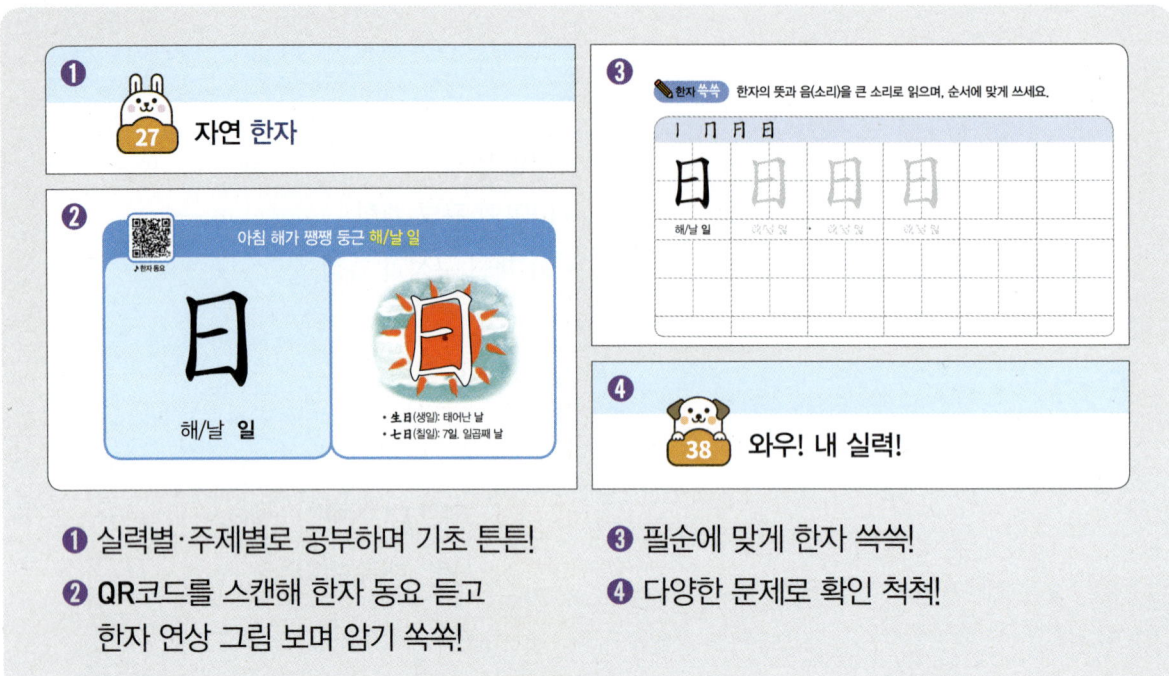

① 실력별·주제별로 공부하며 기초 튼튼!
② QR코드를 스캔해 한자 동요 듣고 한자 연상 그림 보며 암기 쏙쏙!
③ 필순에 맞게 한자 쓱쓱!
④ 다양한 문제로 확인 척척!

● 실력 띵똥땡

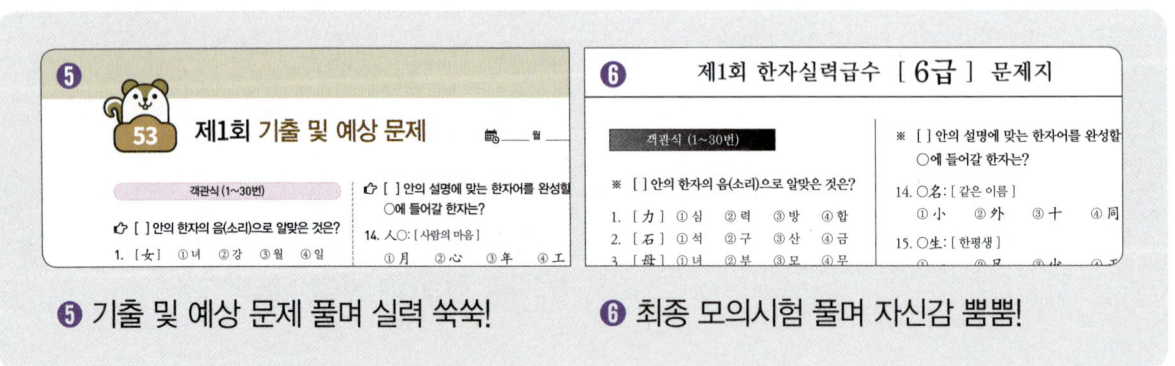

⑤ 기출 및 예상 문제 풀며 실력 쑥쑥!
⑥ 최종 모의시험 풀며 자신감 뿜뿜!

● 부록

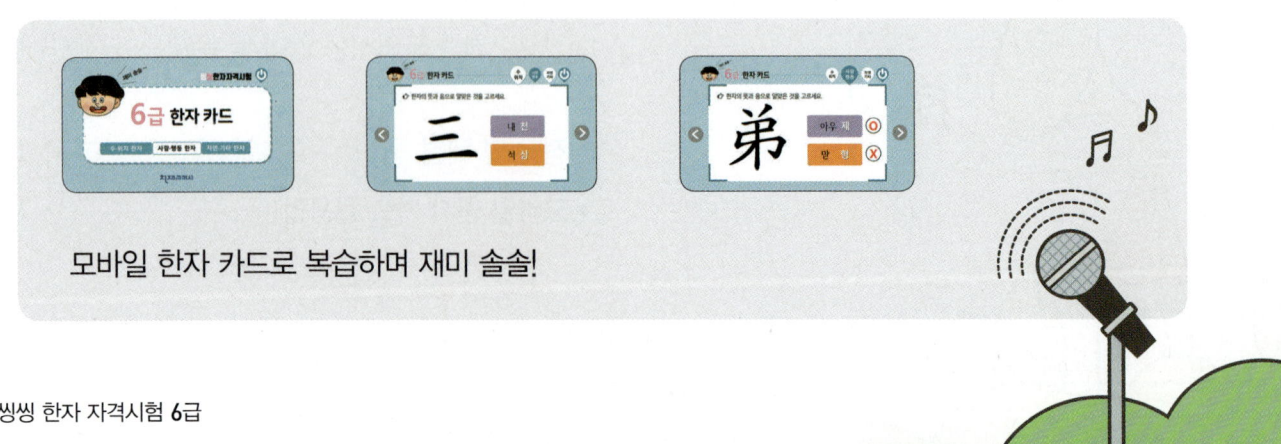

모바일 한자 카드로 복습하며 재미 솔솔!